© 2008, Editorial LIBSA
C/ San Rafael, 4
28108 Alcobendas (Madrid)
Tel.: (34) 91 657 25 80
Fax: (34) 91 657 25 83
e-mail: libsa@libsa.es
www.libsa.es

Textos: Araceli Fernández Vivas
Ilustraciones: Jorge de Juan / Equipo editorial LIBSA
Edición: Equipo editorial LIBSA
Maquetación: Equipo de maquetación LIBSA

Agradecimientos
Set de piezas de ajedrez (páginas 9, 10, 11 y 12):
Gorman Chess Graphics, created by Paul Gorman, 2006

ISBN: 978-84-662-1668-5

AJEDREZ

PARA NIÑOS

LIBSA

1. ¿QUÉ ES EL AJEDREZ?

Quizá hayas visto alguna vez en el parque, en la televisión, en la ludoteca o incluso en casa, a dos personas jugando al ajedrez. Puede que fueran niños o ancianos, pero habrás visto qué interesados y concentrados estaban en su partida, ¿verdad? Y te habrás preguntado entonces: «¿Qué es eso del ajedrez?».

El ajedrez es un juego en el que, a diferencia del parchís, la oca u otros juegos de mesa, los jugadores no dependen del azar ni de la suerte de los dados o las cartas, sino de su inteligencia. Juegan dos jugadores enfrentados, cada uno con dieciséis piezas. Habitualmente son llamadas «blancas» y «negras», aunque ya veremos que pueden ser de distintos colores y formas, siempre que se distingan claramente y con la condición de que ambos jugadores dispongan de un rey, una reina o dama, dos alfiles, dos caballos, dos torres y ocho peones.

La dificultad está en que cada pieza se mueve de manera diferente por el tablero. Este tablero se compone de sesenta y cuatro cuadrados o casillas que alternan dos colores, normalmente el negro y el blanco. Pero una vez que se conocen estas pocas reglas, es muy divertido jugar con contrincantes de tu mismo nivel.

El ajedrez es un juego de guerra, perteneciente a la misma familia que el xiàngqí (ajedrez chino) y el shōgi (ajedrez japonés); se cree que ambos provienen del chaturanga, juego que se practicaba en la India en el siglo VI. Por tanto, el origen del ajedrez, como el de tantos otros juegos, es Oriente.

El tablero representa un campo de batalla, en el que dos reinos imaginarios que luchan entre sí tienen como objetivo capturar al rey del adversario. Todas las piezas de cada bando son compañeras y se apoyan unas a otras, unas veces para defender a su rey del ataque del bando adversario, otras para atacar al rey enemigo, y otras para atrapar a las tropas del rey contrario. Para ganar la guerra, hay que atrapar al rey del bando enemigo.

Es fácil conseguir un ajedrez: puedes hacértelo tú con cartulina y chapas o lograr algún ejemplar de otro material. Las piezas pueden ser abstractas o figuras que representan reyes, reinas, caballos, etc. Hay juegos de ajedrez para todos los gustos: de marfil, de oro, de plástico, de madera… ¡incluso virtuales, con el ordenador o con otros internautas como contrincantes! Lo importante es jugar, pero para empezar es mejor que utilices un tablero y piezas que tengan sólo dos colores, blanco y negro, o marrón claro y marrón oscuro.

En este manual te enseñamos el movimiento de las piezas de forma gradual y con un lenguaje sencillo y claro, para después explicarte las estrategias que puedes seguir para salir vencedor de esta batalla imaginaria entre dos reinos en la que puedes poner en juego tu inteligencia a la vez que ejercitas tu mente.

2. EL TABLERO

El tablero de ajedrez representa un campo de batalla donde cada pieza ocupa su lugar y se mueve de un modo determinado.

Tiene ocho filas con ocho casillas cada una, alternando una clara y otra oscura, lo cual suma sesenta y cuatro casillas.

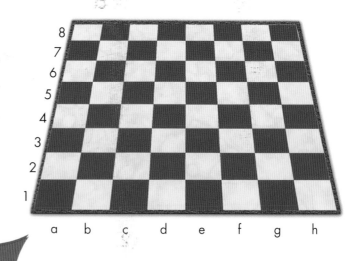

RECUERDA
- Al comenzar a jugar, sitúa el tablero con la casilla blanca a tu derecha.

JUGADOR 1

derecha

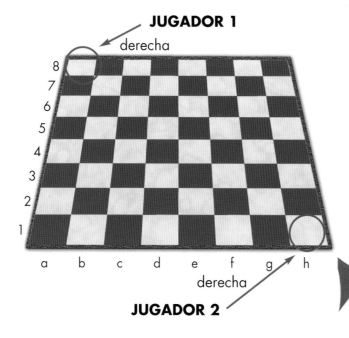

derecha

JUGADOR 2

Para saber cómo colocar el tablero al empezar a jugar, se le da vueltas hasta que los dos jugadores (que están sentados uno enfrente del otro) tengan un cuadrado blanco en la esquina derecha.

COLUMNA

LÍNEA

DIAGONALES

Las figuras del ajedrez se pueden mover hacia delante o hacia detrás de las casillas verticales, es decir, por las COLUMNAS; hacia la izquierda o hacia la derecha de las casillas horizontales, llamadas LÍNEAS; y a través de las filas del mismo color unidas por los vértices de las casillas: las DIAGONALES del tablero.

Las piezas o figuras con las que cuenta cada jugador son las siguientes:

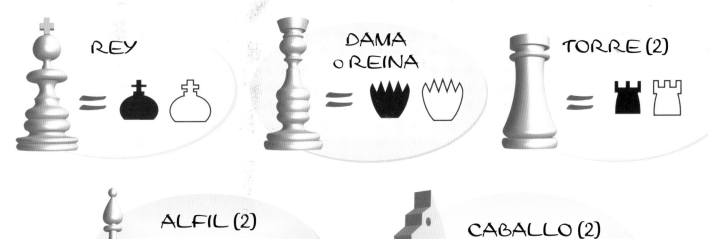

Las piezas de cada jugador serán de dos colores diferentes: uno claro o blanco y el otro oscuro o negro.

RECUERDA
• Empieza la partida el jugador que tiene las piezas blancas.

Para empezar la partida, hay que colocar en el tablero las torres en las esquinas; al lado, los caballos, en la misma línea. Luego se sitúan los alfiles y entre estos dos, el rey y la dama, teniendo en cuenta que la dama blanca queda en la casilla blanca y la dama negra en la casilla negra. En la siguiente línea se colocarán los ocho peones.

3. LAS PIEZAS

EL REY

El **rey** es una pieza muy importante, pues quien capture o elimine al Rey del contrincante gana la partida.

El rey puede avanzar en todas direcciones (diagonal, horizontal o vertical), pero únicamente una casilla por cada jugada o movimiento. Tiene que evitar llegar a una casilla en la que pueda ser capturado (lo que se conoce como ponerse en *jaque*).

El rey puede realizar un movimiento especial que se conoce como *enroque* y que veremos más adelante.

LA DAMA O REINA

La **dama** o **reina** es la figura más poderosa del tablero. Se puede desplazar tantas casillas como quiera, pero sin saltar sobre las piezas: si son de su mismo color, se para en la casilla próxima y si son enemigas, puede capturarlas.

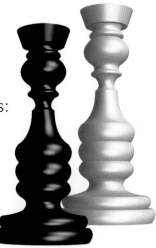

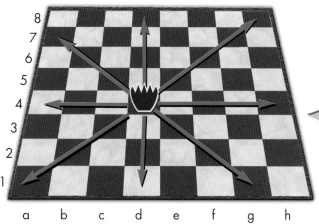

RECUERDA

• El rey nunca puede moverse a una casilla en la que corra el riesgo inmediato de ser capturado.
• La dama es la pieza más poderosa: puede moverse por diagonales, columnas y filas.

Tienes que tener mucho cuidado con la dama, pues es una pieza que tu contrario querrá capturar desde el principio de la partida para que no puedas usar su poder.

LA TORRE

Las **torres** se mueven en horizontal o en vertical, por las columnas o las filas hacia arriba o hacia abajo, izquierda o derecha.

No pueden pasar o saltar por encima de otra pieza: se detienen si son de su equipo o las capturan si son del contrario.

EL ALFIL

El **alfil** se mueve por las diagonales, a través de una o de varias casillas. Cada jugador, al iniciar la partida, tiene dos alfiles: uno está en una casilla blanca y el otro en una negra. Como sólo se mueven en diagonal, durante la partida cada uno de los alfiles se moverá únicamente por la diagonal del color que le ha correspondido.

RECUERDA

• No es obligatorio capturar una pieza enemiga aunque se pueda.

En la misma posición, la torre puede moverse por catorce casillas, mientras que el alfil sólo puede hacerlo, como máximo, por trece, por lo que se considera que la torre es más poderosa que el alfil.

EL CABALLO

El **caballo** es, quizás, la pieza más difícil de mover, porque «salta», es decir, que aunque esté rodeado de otras piezas puede ir a la casilla que le corresponda.

RECUERDA

• El caballo puede saltar obstáculos: no olvides que las piezas del ajedrez representan un ejército sobre un campo de batalla.

Su movimiento es en «L»: una casilla de frente y dos de lado o dos casillas de frente y una de lado. Si la casilla a la que ha de llegar está ocupada por una pieza de su color, no puede hacer el movimiento, y si es del otro color, puede optar por no mover o por capturar la pieza enemiga.

EL PEÓN

El **peón** sólo puede avanzar, no retroceder. Cuando se mueve por primera vez, puede avanzar una casilla o dos, pero en sus siguientes movimientos sólo avanza una casilla por jugada. No puede avanzar si la casilla está ocupada por otra pieza, sea de su color o del contrario.

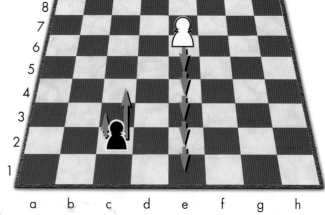

Los peones capturan en diagonal, un solo paso cada vez, lo cual les permite cambiar de la columna en la que inició el juego a una contigua.

El peón puede **capturar al paso** a otro peón: esta captura se realiza cuando un peón avanza dos casillas en su primer movimiento para que no lo capturen y el peón contrario avanza en diagonal para capturarlo; es como si sólo hubiera avanzado una casilla.

Matar al paso sólo pueden hacerlo los peones y además sólo pueden capturar de este modo a otros peones, no a las demás piezas.

RECUERDA

• El peón contrario ha de «capturar el paso» justo en la jugada siguiente, pues si se da cuenta después, ya no podrá comer al peón que está a su lado.

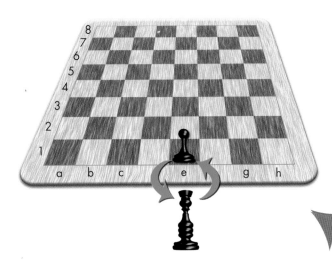

Cuando un peón blanco llega a la línea 8 o uno negro a la línea 1, se conoce como **promoción** o **coronación** del peón. Al llegar a este punto, el jugador puede utilizar el peón como cualquiera de las otras piezas (excepto el rey). Lo habitual es que los jugadores coronen sus peones como damas, pues como vimos es una pieza muy poderosa.

RECUERDA

• Al llegar un peón blanco a la línea 8 o uno negro a la línea 1, se dice que «corona» y pasa a ser la figura que su jugador elija, excepto el rey.

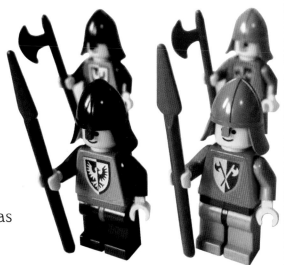

Es posible jugar con varias damas, alfiles, torres o caballos en una misma partida si los peones coronan. Por ejemplo, un jugador podría coronar a todos sus peones como damas, con lo cual jugaría la partida con nueve damas sobre el tablero.

4. REGLAS y MOVIMIENTOS

El ajedrez es un deporte regulado por normas estrictas que los jugadores no han de saltarse. La Federación Internacional de Ajedrez (FIDE) se ha preocupado por hacer una serie de reglas que resuman las que hay desde hace siglos para que todos los jugadores del mundo tengan claras las normas básicas de juego y puedan hacerse competiciones con miembros de todas las edades, géneros y nacionalidades. Aunque ya hemos visto algunas, éstas son las que debes tener presente al iniciar una partida:

✔ Empieza a jugar el jugador que tiene las piezas blancas.

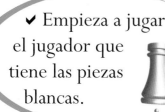

✔ Para empezar a jugar, el tablero ha de situarse con una casilla blanca a la derecha de cada jugador.

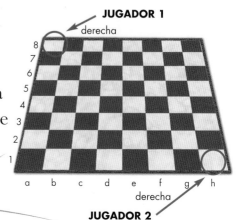

JUGADOR 1
derecha

derecha
JUGADOR 2

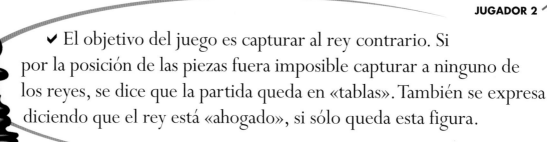

✔ El objetivo del juego es capturar al rey contrario. Si por la posición de las piezas fuera imposible capturar a ninguno de los reyes, se dice que la partida queda en «tablas». También se expresa diciendo que el rey está «ahogado», si sólo queda esta figura.

✔ Recuerda los movimientos de las piezas:
• El **rey** se mueve por filas, columnas y diagonales, pero sólo una casilla. Veremos después, en este mismo capítulo, reglas que afectan al rey.
• La **dama** se desplaza como el rey, pero por una casilla o más.
• La **torre** se mueve una o más casillas por las filas y las columnas.
• El **alfil** se desliza una o más casillas por las diagonales.
• El **caballo** se mueve en L y puede saltar piezas.
• El **peón**, si es la primera vez que se mueve, puede avanzar una o dos casillas en línea recta. Pero es el único que captura en diagonal.

✔ Ninguna pieza puede moverse a una casilla ocupada por otra pieza de su mismo color.

✔ Si un peón llega a la fila más alejada de su punto de partida, se cambia por una dama, un alfil, una torre o un caballo de su mismo color, porque corona o promociona. Pero nunca se promociona un peón a rey, pues sólo puede haber un rey blanco y uno negro.

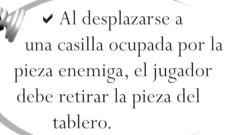

✔ Al desplazarse a una casilla ocupada por la pieza enemiga, el jugador debe retirar la pieza del tablero.

✔ Una vez que se deja una pieza en una casilla, ya no se puede «deshacer» la jugada, así que hay que saber bien lo que se quiere hacer antes de que la pieza toque el tablero.

✔ Cada jugada debe hacerse con una sola mano, para evitar confusiones y «trampas».

¡Compongo!

✔ Si un jugador toca una o más de sus piezas, ha de mover obligatoriamente la primera que haya tocado.

✔ Si quieres poner las piezas en el centro de su casilla, colocarlas bien o levantar alguna caída, has de decírselo a tu contrincante. Los jugadores profesionales suelen usar la expresión «compongo» en estos casos.

✔ Piensa bien el movimiento que vas a hacer antes de tocar la pieza, pues una vez que la tocas y la levantas de su casilla, ya no puedes volver a dejarla en el mismo sitio, sino que estás obligado a moverla.

✔ Gana la partida el jugador que captura al rey contrario. Este es el último movimiento y con él finaliza la partida.

✔ Otra forma de dar por finalizado el juego es cuando ambos jugadores deciden que están en tablas.

✔ En competiciones «serias» se utiliza el *reloj de ajedrez*, un mecanismo doble, con dos esferas de reloj que permite cronometrar y controlar el tiempo que cada contrincante dedica a cada jugada. Cuando un jugador acaba su jugada detiene su reloj y pone en marcha el del contrario.

✔ Se gana la partida también si el contrincante dice que abandona el juego.

EL ENROQUE

Es la única jugada en la que se mueven dos piezas a la vez: el rey y una torre, siempre que estas dos piezas no hayan hecho movimientos previos y sigan en su punto de partida. El enroque se utiliza cuando el rey se ha quedado desprotegido.

El enroque puede ser corto o largo:

El rey se desplaza dos casillas en dirección a la torre de la derecha, mientras que la torre se sitúa al otro lado del rey **(enroque corto).**

La torre de la izquierda se desplaza tres casillas, quedando al lado del rey **(enroque largo).**

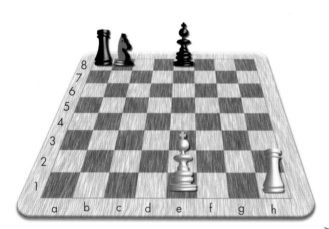

El enroque sólo puede realizarse si las casillas entre el rey y la torre están libres. En este ejemplo, el rey de las blancas sí puede realizarlo, pero el rey de las negras no, porque hay un caballo cruzado en su trayectoria.

Como se considera que el enroque es una jugada del rey, tienes que tocar esta pieza antes que la torre, pues si primero tocas la torre, tu contrincante puede obligarte a moverla e impedir que puedas enrocar.

RECUERDA

• Aunque se muevan dos piezas, el enroque se considera una sola jugada.

5. CAPTURA

Como ya sabes, el objetivo del ajedrez es capturar al rey del bando contrario. Para poder hacerlo se seguirán distintas estrategias, pero en todas ellas es necesario ir eliminando o capturando piezas del bando contrario.

Unas piezas protegen a otras de las capturas. Aquí tienes un ejemplo:

Juegan las negras, es decir, es el turno del jugador con las figuras negras. La torre negra puede capturar a la dama blanca, al peón blanco y al alfil. No puede capturar la torre blanca porque antes que ella está el peón blanco: se dice que el peón blanco protege a la torre.

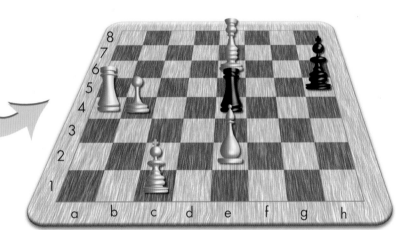

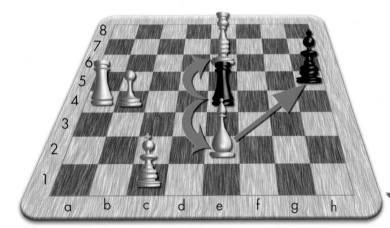

¿Cuál de las tres figuras te comerías? La más importante es la reina, pero… fíjate en el alfil, tiene en jaque al rey negro y si no lo eliminan, ganará la partida. La torre protege a su rey y come o captura al alfil blanco.

RECUERDA

- Las piezas capturan como se mueven, excepto el peón, que aunque se desplaza en línea recta, mata en diagonal.
- No olvides tampoco que no se puede saltar encima de las piezas propias ni contrarias al avanzar, excepto el caballo, que lo hace en forma de «L».
- Además, aunque puedas capturar una pieza contraria, no estás obligado a hacerlo.

6. JAQUE

El rey en una partida es insustituible: si es capturado, se pierde la partida.

Cuando una pieza amenaza al rey y el jugador no se ha dado cuenta, el agresor debe comunicarlo diciendo «jaque al rey» o simplemente «jaque». De este modo, el ataque puede ser neutralizado.

En principio, hay tres formas básicas de neutralizar el jaque:

1 Desplazar el rey a otra casilla en la que no esté en jaque.

2 Capturar la pieza que amenaza al rey.

3 Interponer una pieza entre el rey y su agresor.

Mira este ejemplo:

Tal y como están las figuras, podemos hacer lo siguiente:

1 Neutralizar el ataque moviendo al rey a las casillas que no están amenazadas por las negras.

Si desplazas el rey a la casilla **d2** se acabaría la partida (jaque mate), pues como el siguiente en mover es el contrario, su dama capturaría al rey blanco. Además, las reglas oficiales no permiten que el jugador lleve a su rey a una casilla en jaque.

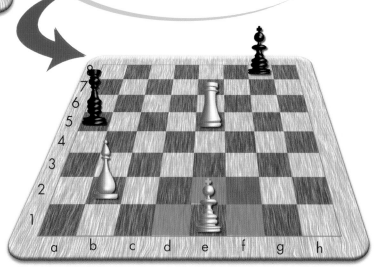

2 Capturar la pieza que amenaza al rey.

En este tablero puedes observar cómo la torre blanca protege a su rey amenazado capturando a la dama negra.

3 Interponer una pieza entre el rey y su agresor.

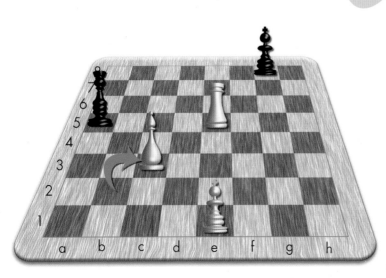

Desplazaríamos el alfil para entorpecer el paso de la dama: ésta tendría que comer al alfil, no al rey.

RECUERDA

• Según las reglas oficiales, no es obligatorio anunciar un jaque.

Esta forma de evitar el ataque sólo puede hacerse cuando atacan la dama, el alfil, la torre o el otro rey, porque recuerda que el peón ataca en diagonal y, sobre todo, que el caballo puede saltar por encima de las piezas hasta llegar a la casilla que ataca.

Si el jaque lo da un caballo, es mejor que neutralices el ataque moviendo el rey a un lugar seguro o capturando al caballo.

7. MATE

Cuando en una jugada el rey amenazado no puede escapar del jaque de ninguna de las formas anteriores, se dice que está en «jaque mate», o simplemente «mate». Cuando esto ocurre, la partida termina de manera inmediata y gana el jugador que ha dado jaque mate al contrario.

Aquí tienes un ejemplo de jaque mate:

RECUERDA

• Algunos jugadores, cuando la dama da jaque mate al rey contrario, lo llaman «el beso de la muerte».

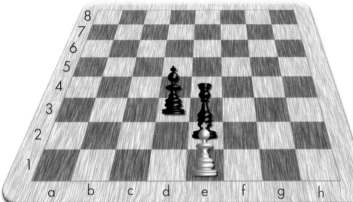

El rey blanco está amenazado por la dama negra.

Si el rey blanco neutralizase el ataque moviéndose a cualquiera de las casillas a las que puede desplazarse (en verde), la dama negra seguiría siendo su amenaza directa: jaque mate.

Si capturamos a la dama negra, el rey negro movería en la siguiente jugada, capturando al rey blanco: jaque mate.

Como no hay más piezas, es imposible poner una pieza entre el rey y su amenaza. No se puede rechazar el ataque: en este ejemplo vencería el jugador de las negras.

Cuando una figura controla una columna, se conoce como «el muro». Aquí puedes ver cómo el rey negro no puede pasar por la columna b, pues la torre blanca que está en **b5** le haría jaque. El rey sólo se puede desplazar por la columna a como si tuviese un muro que le impide pasar de la columna b.

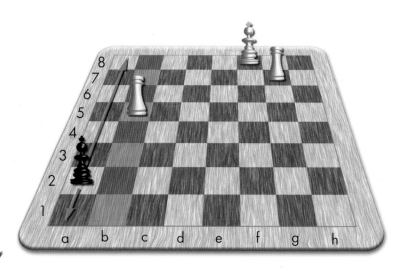

El siguiente posible movimiento sería que la torre blanca que está en **g7** se desplazase a la columna a.

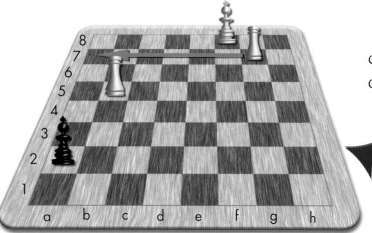

RECUERDA

• Para jugar una partida has de elaborar un plan previo, para no perder piezas e intentar dar jaque al rey. No vale jugar al azar ni contar con la suerte: es tu inteligencia la que está jugando.

El rey sólo se puede mover una casilla (**a3, b3, b2, b1, a1**), por lo que se mueva a donde se mueva será capturado por una de las dos torres, así que al desplazarse la torre a **a7** le da jaque mate.

8. TABLAS

Si ninguno de los jugadores consigue hacer jaque mate a su contrincante, la partida termina en tablas. Es un empate. Si ocurre porque el jugador al que le toca mover, sin tener aún a su rey en jaque, no puede hacer ningún movimiento de los que permiten las reglas del juego, se conoce como «rey ahogado» y lo veremos con más detenimiento un poco más adelante.

El reglamento establece varias razones para pedir tablas:

1 Cuando ambos jugadores llegan al acuerdo de tablas.

2 Si hay «rey ahogado».

3 Cuando las piezas que hay en el tablero no son suficientes para que ninguno de los dos jugadores pueda llegar al jaque mate, por ejemplo, cuando sólo quedan:
- Rey contra rey.
- Rey y caballo contra rey.
- Rey y alfil contra rey.
- Rey y alfil contra rey y alfil cuando los alfiles enemigos van por las diagonales del mismo color.

4 Cuando después de cincuenta jugadas no se ha capturado ninguna pieza ni haya avanzado ningún peón, cualquiera de los dos jugadores puede pedir tablas.

5 Si los jugadores observan que la misma posición se ha repetido tres veces, cualquiera de ellos puede pedir tablas.

RECUERDA

• Cuando un jugador abandona la partida, pierde, no son tablas, que sólo se dan en los casos citados.

EL REY AHOGADO

Esta situación, que termina en tablas, se produce cuando el rey no puede moverse sin ponerse en jaque. Ya sabes que hay una regla que impide que pongas a tu rey en jaque, es decir, moverlo a una casilla en la que pueda ser capturado.

Aquí tienes un ejemplo de rey ahogado:

Si el rey blanco se mueve a cualquiera de las tres casillas a las que puede ir (**a2, b2** y **b1**), la dama negra le daría inmediatamente jaque mate.

Como existe la regla que impide mover el rey a una casilla en la que esté amenazado, el jugador de las negras tiene a su rey ahogado y tiene que pedir tablas.

¿Sabrías decir si en estas dos jugadas las negras tienen el rey ahogado, o no?

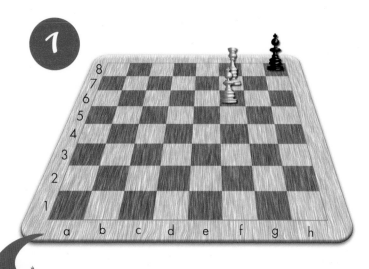

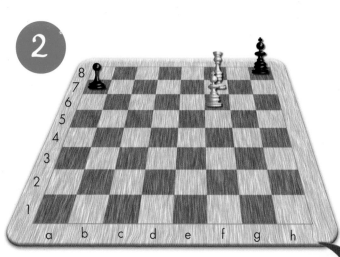

SOLUCIÓN

El rey negro se pondría en jaque en jaque se mueva a la casilla que se mueva. Está ahogado.

Aún se puede mover el peón negro; el rey negro todavía no está ahogado.

9. ATAQUE Y DEFENSA

Ya hemos dicho que una partida de ajedrez es como una batalla, con sus ejércitos, territorios, avances, retrocesos y ataques por la retaguardia. Tan importante va a ser un buen ataque como una gran defensa: lo que importa es el resultado final, es decir, el jaque mate al rey contrario, pero llevado a cabo con inteligencia y siguiendo una buena estrategia.

En los próximos apartados veremos el desarrollo de las partidas desde el comienzo o **apertura** de la partida, donde se «desarrollarán» o desplegarán las piezas por el tablero; el **medio juego**, cuando la mayoría de las piezas están situadas en el centro del tablero, y el **final de la partida**, que podrá concluir en jaque mate, tablas y abandono del juego por parte de alguno de los dos jugadores.

Ahora vamos a tratar de a qué piezas debes atacar y cómo puedes defenderte de la amenaza del contrario en cualquiera de las fases de la partida.

Recuerda que:

• El **rey** puede capturar las piezas que estén en las casillas que están a su lado, excepto cuando al ponerse en el lugar de la pieza capturada se quede en situación de jaque.

RECUERDA

• El ajedrez es un campo de batalla: debes pensar todos los movimientos para no perder la guerra, es decir, para que no capturen a tu rey.

Movimiento del rey.

• La **dama** se desplaza por columnas, filas y diagonales, por lo que puede capturar la pieza que esté en su camino, pero sin saltar encima de otras.

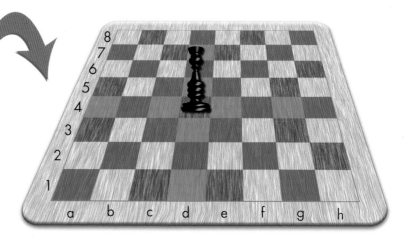

Movimiento de la dama.

Movimiento de la torre.

• La **torre** mata a las piezas que estén en su misma fila o columna, mientras que el **alfil** captura a las piezas que están en las diagonales del mismo color que la casilla en la que inició el juego, que no abandona en toda la partida.

RECUERDA

• *No pierdas la calma ante una amenaza: del aprieto en que te pone tu enemigo, puede salir una magnífica jugada para ti.*

Movimiento del alfil.

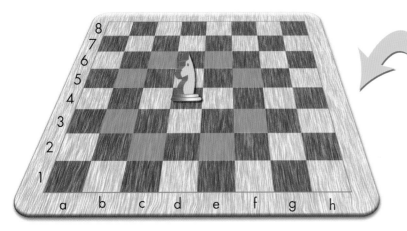

Movimiento del caballo.

· El **caballo** es el único que puede saltar piezas y capturar al que esté al final de su movimiento en «L».

· Respecto a los **peones**, no olvides que capturan en diagonal, pero sólo en las dos casillas diagonales delanteras, porque no pueden retroceder.

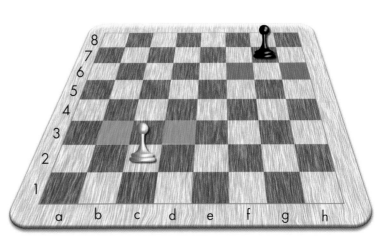

Movimiento del peón.

Como muchas veces tendrás que sacrificar alguna pieza para salvar otra, te damos aquí una clasificación habitual del valor de las figuras y peones, que se basa en su capacidad de movilidad en el tablero, es decir, del número de casillas que pueden dominar:

REINA = 10 PUNTOS

TORRE = 5 PUNTOS

ALFIL = 3 PUNTOS

CABALLO = 3 PUNTOS

PEÓN = 1 PUNTO

RECUERDA

· El rey no está incluido en la puntuación porque su captura significaría perder la partida: es la pieza más importante, aunque tenga menos movilidad que otras piezas.

Si el contrario amenaza alguna de nuestras piezas ¿qué podemos hacer? Defendernos de alguna de estas maneras, entre otras muchas:

1   **Desplazando** nuestra pieza a otra casilla no amenazada para evitar el ataque.

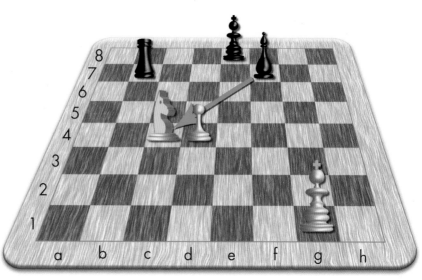

Por ejemplo, en esta figura, el alfil negro amenaza al caballo blanco. Es el turno de las blancas. ¿Cómo ha de defenderse?

Una posibilidad es desplazar el caballo a una casilla segura.

En este tablero puedes ver señaladas en verde las casillas a las que podría desplazarse el caballo para no ser comido por el alfil. Puede saltar por encima del peón de su bando que está en **d4** para situarse en **e3** o **e5**.

Sin embargo, si se moviera a **b6** o a **b2**, sería la torre negra la que capturase al caballo en la siguiente jugada, por lo que no ha de desplazarse a esas peligrosas casillas.

2 Sacrificando una pieza de menor valor que la amenazada, **interponiéndola** entre el atacante y la pieza de más valor.

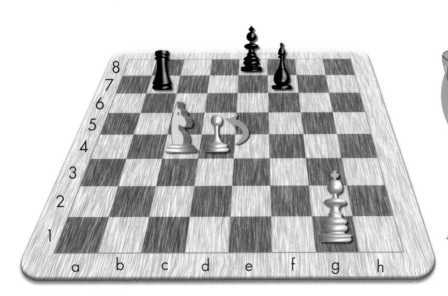

Siguiendo con el mismo ejemplo de la página anterior, podemos salvar la amenaza contra el caballo blanco poniendo al peón blanco entre el alfil y el caballo. Un peón suele valorarse con 1 punto, mientras que un caballo vale 3 puntos.

Aquí puedes ver cómo el peón que estaba en **d4** se ha movido a **d5**, por lo que ahora el caballo blanco no sufre la amenaza del alfil negro.

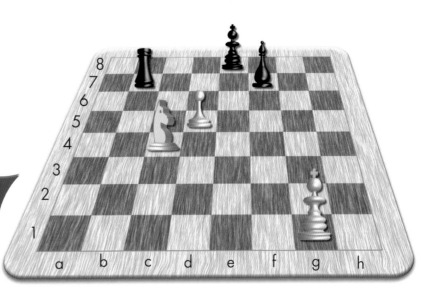

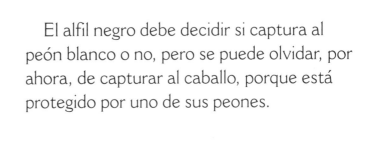

El alfil negro debe decidir si captura al peón blanco o no, pero se puede olvidar, por ahora, de capturar al caballo, porque está protegido por uno de sus peones.

3 **Atacando** nosotros a la pieza que nos amenaza o, incluso, a una pieza de mayor valor, por lo que el contrincante tendrá que defenderse y abandonar el ataque.

Vamos con un ejemplo:

En este tablero puedes ver que hay una figura más que en la situación del ejemplo anterior: en la casilla **e2** hay un alfil blanco.

Recuerda que en la jugada tenían que mover las blancas, cuyo caballo estaba amenazado por el alfil negro.

Si el alfil blanco se desplaza a **f3**, desde allí, en la siguiente jugada, podría comerse a la torre negra. Así que en el siguiente movimiento el jugador de las negras ha de decidir si captura el caballo o defiende su torre cambiándola de lugar.

Para elegir puede valorar que la torre «vale» más que el caballo, al que sólo se le dan tres puntos, frente a los cinco de las torres, por lo cual… quizá prefiera desistir de su captura y poner a salvo la pieza más valiosa.

RECUERDA

• La dama se valora con diez puntos, la torre con cinco, el alfil y el caballo valen tres, y el peón sólo uno. El rey no tiene valor porque su captura significa el final: es insustituible en cada partida.

Hay más formas de defenderse, como vimos anteriormente en el apartado de jaque al rey, que también serviría para defender otras piezas además del rey. Iremos viendo a lo largo de las páginas siguientes otras estrategias a seguir.

10. INICIO DE LA PARTIDA

Una partida de ajedrez puede durar unos pocos minutos o muchas horas. Pero siempre se desarrolla en tres fases: el inicio de partida o apertura, el medio juego y, por último, el final de partida.

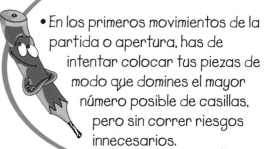

RECUERDA

• En los primeros movimientos de la partida o apertura, has de intentar colocar tus piezas de modo que domines el mayor número posible de casillas, pero sin correr riesgos innecesarios.

En el inicio de partida todas las piezas están en juego. Las aperturas consisten en realizar los primeros movimientos, en «poner el ejército en acción».

Habitualmente, los primeros en ser movidos son los peones, porque impiden el paso del resto de sus piezas, si exceptuamos a los caballos, que como pueden «saltar» podrían avanzar hacia las filas 6 (los caballos negros) y 3 (los caballos blancos).

El objetivo que debes tener claro al comenzar a mover tus piezas es dominar el espacio, es decir, controlar la mayor parte del campo de batalla. Esto se consigue si con las piezas que desplazas controlas más casillas que tu adversario y además son las casillas importantes. Así será mucho más fácil ganar la partida o, al menos, mantener el equilibrio entre los jugadores.

Los expertos del ajedrez llaman **Teoría de las Aperturas** al estudio de estos primeros movimientos de una partida. Tú mismo puedes llegar a preguntarte si la norma que dice que empiezan jugando las blancas les da a éstas ventaja frente a las negras o al revés, permite a las negras anticipar las estrategias de su contrario.

Para aprender a jugar puedes tener en cuenta una serie de reglas básicas sobre las aperturas de partida:

1 **Empieza a jugar con el peón del rey o el peón de la dama**, para comenzar dominando las casillas centrales y permitir el paso al alfil y a la dama (el rey es preferible no moverlo en las primeras jugadas para que no quede desprotegido, a no ser que se realice el enroque).

En este tablero puedes comprobar cómo un posible primer movimiento puede ser del peón **e2** (marcado en rojo) a la casilla **e3** o a la **e4**.

Pero si no quieres dejar desprotegido al rey en el primer movimiento, mueve el peón **d2** (marcado en azul) a la casilla **d4** o a la **d3**.

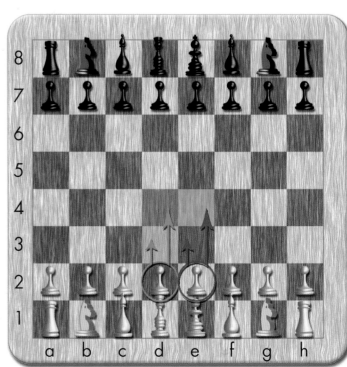

Aquí puedes comprobar que con este primer movimiento permites a la dama y al alfil dominar gran número de casillas.

RECUERDA

• Es un buen comienzo iniciar la partida moviendo un peón central.

2 **Intenta movilizar los caballos lo más pronto posible.** Es recomendable tenerlos en el centro del tablero para que protejan y ayuden a otras piezas, ya que son un poco más lentos al desplazarse por el tablero.

Como pueden saltar sobre los peones, los caballos también pueden ser de las primeras figuras en moverse.

RECUERDA

• Un ataque puede sufrir un contraataque inesperado, por lo que has de pensar las consecuencias de tus movimientos y no precipitarte ni siquiera en las primeras jugadas.

3 Además de ir colocando las piezas por el tablero, intenta lo más pronto que puedas **amenazar alguna pieza del contrario**.

El caso más habitual es el del caballo blanco: cuando la primera jugada ha sido el movimiento al centro de los peones del rey (**e4, e5**), la segunda jugada será el movimiento del caballo blanco a **f3**, lo cual supone una amenaza directa para el peón negro **e5**.

Pero las negras pueden contraatacar: en la segunda jugada el caballo blanco se mueve a **f3** amenazando al peón de **e5**, pero el caballo negro reacciona y se desplaza a **c6**. Si en la tercera jugada el caballo blanco captura al peón **e5** situándose en su casilla, el **c6** acaba la jugada capturando a **e5**.

4 **Intenta no mover demasiados peones durante los primeros movimientos,** porque sólo pueden avanzar hacia delante y no retroceden. Además pueden impedir el movimiento de piezas de su propio ejército, por lo que tendrás que mover otras figuras antes de sacar luchar a todos tus peones.

5 **No muevas la dama demasiado pronto**, porque es la pieza más valiosa y además es la que más movimientos puede realizar. Si la sacas a mitad del tablero al principio de la partida puedes perderla fácilmente, porque el contrario tiene muchas piezas en juego.

6 **Enroca en cuanto puedas.** Ya te habrás fijado en que, al mover los peones centrales, el rey queda expuesto a los ataques con más facilidad. Para poder asegurarlo cambia la torre y el rey. El enroque permite mantener al rey resguardado y mover más fácilmente la torre con la que enroca. Repasamos el enroque:

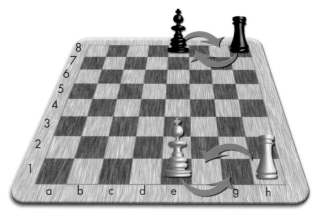

Enroque corto: El rey se desplaza dos casillas en dirección a la torre de la derecha, mientras que la torre se sitúa al otro lado del rey.

Enroque largo: La torre de la izquierda se desplaza tres casillas, quedando al lado del rey.

7 Con las jugadas que vayas haciendo has de intentar **tener dominado el centro del tablero**, que es el campo de batalla donde se van a desarrollar grandes jugadas.

8 Es aconsejable **tener algún peón en el centro durante toda la partida**, porque evita que en esas casillas puedan situarse piezas enemigas que realicen jugadas peligrosas.

9 Desde el principio de la partida juega con una **estrategia concreta**, es decir, hazlo en pocas jugadas, pero siempre con unos objetivos claros. Si juegas sin pensar es casi seguro que no ganes, y lo que es peor, que no te diviertas, por lo tanto es mejor que reflexiones antes de cada jugada.

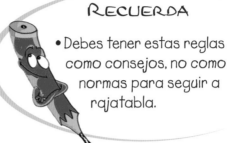

RECUERDA

• Debes tener estas reglas como consejos, no como normas para seguir a rajatabla.

La Teoría de las Aperturas ha estudiado más de cincuenta tipos diferentes de aperturas o formas de iniciar el juego. La más habitual es la que se llama **apertura abierta**, que ya hemos visto, y que comienza con la salida al centro del tablero del peón blanco y el peón negro de la columna de los reyes.

Aquí tienes algunos ejemplos más de aperturas abiertas:

APERTURA ESPAÑOLA

• **Jugada base:** 1. e4, e5; (cuando no se ponen iniciales, son peones)
2. Cf3, Cc6;
3. Ab5

• **Ventajas/Inconvenientes:** Se considera que esta apertura da una buena ventaja a las blancas, y esto en ajedrez siempre es bueno, sobre todo si se da desde las primeras jugadas.

• **Historia:** La apertura española se llama así porque fue el ajedrecista español Ruy López de Segura quien la divulgó en el año 1561.

APERTURA ESCOCESA

• **Jugada base:**　1. e4, e5;
　　　　　　　　　　2. Cf3, Cc6;
　　　　　　　　　　3. d4

• **Ventajas/Inconvenientes:** En un principio las blancas ocupan el centro rápidamente, pero también las negras pueden forzar las tablas con relativa facilidad en jugadas sucesivas.

• **Historia:** La apertura escocesa apareció en el año 1824 en un encuentro ajedrecístico entre dos equipos de Londres y Edimburgo.

APERTURA ITALIANA O 4 CABALLOS

• **Jugada base:**　1. e4, e5;
　　　　　　　　　　2. Cf3, Cc6;
　　　　　　　　　　3. Ac4

• **Ventajas/Inconvenientes:** Es una forma de asegurarte que no te ganen rápidamente, siempre que te fijes bien en no dejar ninguna pieza sin defender.

• **Historia:** Es una de las aperturas más practicadas desde tiempos antiguos.

GAMBITO DE REY

• **Jugada base:**　1. e4, e5;
　　　　　　　　　　2. f4

• **Ventajas/Inconvenientes:** El gambito es la entrega o sacrificio de uno o varios peones al inicio de la partida; en este caso, las blancas exponen su peón y las negras se lo comen. Es bueno sacrificarlo para abrir la posición y desafiar al contrincante.

• **Curiosidades:** Si el contrario acepta el sacrificio (es decir, si se come el peón), el gambito se llama *gambito aceptado* y, en caso contrario, *gambito rehusado*. Cuando el gambito lo ofrecen las negras se llama *contragambito*.

Si en la primera jugada el peón blanco se mueve a **e4** pero las negras no responden moviendo su peón a **e5**, se llama **apertura semiabierta**.

Aquí tienes algunos ejemplos:

DEFENSA FRANCESA

• **Jugada base:** 1. e4, e6;

• **Ventajas/Inconvenientes:** Las negras lucharán inmediatamente por el centro con sus peones en e6 y d5.

• **Historia:** Recibe este nombre porque en un encuentro entre ajedrecistas de París y de Londres celebrado en 1834, los primeros derrotaron a los ingleses gracias a esta apertura.

RECUERDA

• El objetivo principal de cualquier apertura es controlar el centro del tablero. Se considera «apertura» las jugadas del bando blanco y «defensa» cuando lo hacen las negras.

DEFENSA SICILIANA

• **Jugada base:** 1. e4, c5;

• **Ventajas/Inconvenientes:** Es una gran defensa, de gran prestigio entre los grandes jugadores, pero usarla supone provocar un verdadero laberinto del que es complicado salir.

• **Historia:** Debe su nombre a su inventor, el siciliano Pietro Carrera.

RECUERDA

• En general, el orden establecido para que las piezas salgan a jugar es: en primer lugar, uno o dos peones centrales; en segundo lugar, los caballos y los alfiles; después se puede hacer enroque y al final salen las torres y la dama.

Las aperturas cuyo primer movimiento no es situar el peón en **e4** se conocen como **aperturas cerradas.** Aquí tienes algunos ejemplos:

GAMBITO DE DAMA

• **Jugada base:**   1. d4, d5; 2. c4

• **Ventajas/Inconvenientes:** El gambito de dama es un falso gambito, pues el jugador blanco puede recuperar el peón cuando quiera.

• **Historia:** Esta apertura se utiliza desde los primeros tiempos del ajedrez moderno.

APERTURA INGLESA

• **Jugada base:**   1. c4

• **Ventajas/Inconvenientes:** Su gran ventaja es a la vez su gran defecto: su enorme flexibilidad, pues cualquier jugada de las negras es válida.

• **Historia:** Se conoce desde tiempos antiguos, pero su fama se debe al ajedrecista inglés Howard Staunton. Se la considera la más fuerte de todas las aperturas.

APERTURA CATALANA

• **Jugada base:** 1. d4, Cf6;
         2. c4, e6;
         3. g3

• **Ventajas/Inconvenientes:** El inconveniente es que desde la tercera jugada, el jugador negro sabe lo que va a jugar el blanco, y tomará las medidas oportunas.

• **Historia:** Su nombre proviene del concurso organizado en el marco de la Exposición Universal de Barcelona (1929) para inventar nuevas aperturas.

11. MEDIO JUEGO

Cuando ya has establecido las piezas por el tablero o, como dicen los ajedrecistas, has desarrollado las piezas, comienza la segunda fase de la partida: **el medio juego.**

En esta fase es muy importante tener una estrategia, un plan que nos permita tener claros los ataques y defensas que hagamos.

Pero, ¿qué quiere decir eso de *tener una estrategia*? Significa que tienes que tener claro a qué casillas quieres mover tus piezas, por dónde vas a atacar y cómo te vas a defender, descubrir cuáles son las debilidades del contrario, no caer en sus celadas, etc.

Tu plan de juego o estrategia ha de ser flexible, es decir, tiene que adaptarse a las jugadas que desarrolla el contrario. Así que después de cada movimiento del otro jugador debes tener en cuenta los siguientes puntos:

1 ¿Por qué ha hecho ese movimiento el otro jugador? Observa si tu adversario, al cambiar las piezas de sitio con la nueva jugada, está amenazando con un jaque, o a alguna de tus piezas. Si parece que te ha puesto las piezas de modo que sean fáciles de capturar para ti, no te fíes, quizás se trate de una celada.

Aunque ahora te dé la sensación de que este proceso va a ser lento o pesado, vas a comprobar cómo a medida que practicas ajedrez lo vas a hacer cada vez con mayor facilidad y rapidez.

2 Piensa si el movimiento que vas a hacer a continuación facilita el juego de tu adversario o lo perjudica. Es muy importante que analices si la nueva posición de tus piezas deja indefenso al rey o a alguna pieza importante.

3 Una vez que has pensado los aspectos anteriores, es hora de revisar la estrategia que se supone tienes trazada desde el principio de la partida, viendo si es posible continuar con ella o si has de reelaborarla. Puede que la nueva posición facilite tu ataque por un flanco, o que sea ventajoso perder alguna pieza para acercarse al jaque, etc.

Para elaborar tus estrategias tienes que familiarizarte con las tácticas que tiene cada pieza con la que juegas.

• La **dama** es la pieza más poderosa debido a su gran movilidad. Si la sitúas en el centro del tablero servirá para atacar y defender, pero es lógico que si la pones en los bordes del tablero pierda la mitad de su fuerza, es decir, no se pueda mover tanto como en el centro.

Mira este ejemplo y compara: abajo a la izquierda puedes ver cómo la dama blanca controla muchas más casillas desde el centro que la dama negra.

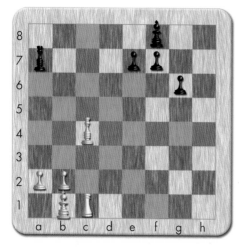

Casillas controladas por la dama blanca.

Casillas controladas por la dama negra.

Desde esa posición, la dama blanca **c4** captura el peón negro **f7** y da jaque al rey.

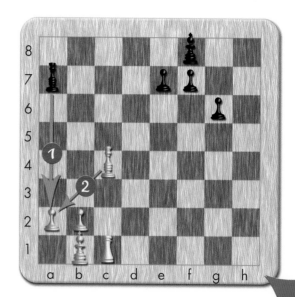

La dama negra **a7**, en el caso de que capture el peón blanco **a2** (1), podría ser capturada a su vez por la dama blanca **c4** (2), que controla esa casilla.

Además, aunque la dama negra quiera defender a su rey, se lo impide su propio peón **e7**, que obstaculiza su paso, pues recuerda que sólo el caballo puede saltar por encima de otras piezas.

• Las **torres** son mucho más eficaces si les dejas las columnas libres o abiertas, es decir, que los peones propios no estén estorbando su paso y, en el caso de haber piezas contrarias, ir capturándolas.

Eso es ya seguir una estrategia, porque conseguir que tus torres lleguen a la séptima u octava fila (para las blancas, para las negras serán las filas primera y segunda) es hacer una gran jugada, porque en esos lugares son especialmente poderosas las torres.

Pero aún más poderosas son las **torres dobladas**, es decir, dos torres en una columna abierta, porque complementan sus ataques y defensas. En este ejemplo vamos a ver cómo las torres deshacen la protección que hay sobre el rey de las negras.

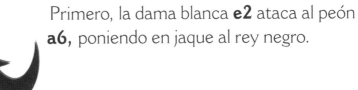

Primero, la dama blanca **e2** ataca al peón **a6,** poniendo en jaque al rey negro.

Las negras reaccionan por medio del peón **b7**, que captura a la dama en **a6**.

RECUERDA

• Intenta mantener a la dama en el centro del tablero para dominar más casillas.

• Las torres han de tener las columnas libres para moverse rápidamente.

Después, la torre blanca que está en **b4** ataca a la torre negra que defiende al rey, por lo que el rey negro, en jaque, se mueve a **a7**.

La partida finaliza cuando la torre blanca que está en **b2** se desplaza a **b7**: pone al rey negro en jaque mate, pues éste no puede avanzar sobre su peón para protegerse y las dos torres le cierran otras vías.

RECUERDA

• En general, es mejor que tus piezas dominen el centro del tablero y no se queden arrinconadas. El caballo, al poder saltar, tiene más libertad de movimiento.

• Los **alfiles** también son poderosos, aunque controlaban menos casillas que las torres. Deben contar con diagonales libres para poder actuar mejor.

Además, como cada alfil controla las diagonales de un color, es mejor que intentes conservar ambos y destruir algún miembro de la pareja de alfiles contrarios, pues así podrás situar tus piezas en las casillas del color que no domine el alfil que queda.

Movimiento del alfil en las diagonales negras.

Movimiento del alfil en las diagonales blancas.

• Los **caballos** también es preferible situarlos en el centro del tablero, donde más casillas pueden dominar; fíjate que en una casilla central tiene más posibilidad de movimiento (abajo, izquierda) que si está en los laterales (abajo, derecha).

Movimiento de un caballo en una casilla central.

Movimiento de un caballo descentralizado.

Pero también has de tener en cuenta en tus estrategias que el caballo tiene la ventaja de poder saltar sobre los demás, por lo que no se queda arrinconado aunque esté rodeado.

• Los **peones** son piezas a tener muy en cuenta al elaborar tus estrategias, pues no pueden retroceder después de haber avanzado. Son los más propensos a crear «debilidades», es decir, situaciones en las que se deja de dominar alguna casilla, o piezas que no pueden ser defendidas. Peligros de este tipo son, por ejemplo:

1 El **peón aislado** es el que no tiene en las columnas contiguas ningún otro peón que lo defienda: sería el peón negro **d5** de este tablero.

2 Los **peones doblados**, es decir, dos peones uno detrás de otro: nunca se podrán defender, porque capturan en diagonal. De ese modo se encuentran los peones blancos **g4** y **g5**.

3 El **peón retrasado** se llama al peón que, por estar detrás de los demás peones, no puede ser defendido por ellos y cuando avance será capturado. Es el caso del peón **b4**.

Pero no todo es negativo con los peones. Si alguno de ellos consigue sobrepasar la séptima línea (la línea 2 para los peones negros) sin tener delante ninguna amenaza, tiene posibilidades de coronar y convertirse en la pieza que el jugador necesite. Se conoce como **peón pasado** y puedes ver el ejemplo en el peón blanco **f7**.

12. EL FINAL DE LA PARTIDA

Se considera final de la partida al momento en el que quedan, además de los dos reyes, otras dos figuras (dama o torre, o alfil o caballo) y algunos peones en cada bando.

En los finales, al no haber muchas piezas sobre el tablero, es posible que cambie su valor y no te sirvan los criterios utilizados en las otras fases del juego. Por ejemplo, un peón puede valer más en este momento que otras piezas, ya sea porque esté a punto de culminar o porque tenga en jaque al rey del contrario. En muchas ocasiones, la ventaja de un peón se traduce en la victoria para su bando.

En esta última fase el rey es más protagonista que nunca, ya sea porque tiene que ser defendido sin tregua o porque ahora él también captura las pocas piezas que queden.

Toma nota de algunos consejos que pueden serte útiles en esta última fase de la partida:

1 En cuanto estés en las últimas jugadas, **utiliza el rey**. Hasta ahora es una pieza que ha estado menos activa, pero en estos últimos movimientos el rey es decisivo.

2 Si puedes, **distribuye los peones** que tengas por ambos flancos: te dará más ventaja frente al adversario.

3 **Intenta no tener piezas «sobrecargadas»,** es decir, que defiendan dos casillas a la vez, porque es más fácil perder. En este tablero puedes ver cómo el pobre peón negro tiene que defender a su torre y a su caballo a la vez. Pero si la torre blanca captura al caballo, el peón negro se protegerá capturando a la torre blanca, dejando así libre al alfil, que primero capturará la torre negra y dejará en clara desventaja a las negras.

4 En el caso de que un bando se quede sólo con el rey en el tablero, se puede exigir al contrario que le dé jaque mate en menos de cincuenta jugadas. Si el contrincante no es capaz, se considera que han quedado en tablas.

5 No te precipites en tus movimientos, **reflexiona**, pero a la vez intenta acabar las partidas en el menor número de jugadas posibles.

13. ANOTACIÓN DE LAS PARTIDAS

Parece ser que desde el año mil de nuestra era se empezaron a analizar las jugadas de ajedrez. Para que fuese más fácil saber qué movimientos realizaba cada jugador, se escribía o anotaba cada jugada. De este modo, personas que no estaban presentes en una partida podían seguir los pasos de cada jugador, sus jugadas y estrategias. Así, los estudiosos de ajedrez pueden analizar las partidas de los grandes ajedrecistas.

Cuando se juega una partida oficial, es obligatorio anotar las jugadas, pues este escrito sirve de documento para revisar cualquier incidente.

Hay varios sistemas de notación, entre los que destacan el algebraico y el descriptivo, pero nos centraremos en el primero, que es el utilizado en la mayoría de los certámenes oficiales.

El **sistema algebraico** fue introducido por los primeros jugadores árabes. Cada casilla recibe el número y letra que corresponde, como puedes ver en este tablero:

	a	b	c	d	e	f	g	h
8	a8	b8	c8	d8	e8	f8	g8	h8
7	a7	b7	c7	d7	e7	f7	g7	h7
6	a6	b6	c6	d6	e6	f6	g6	h6
5	a5	b5	c5	d5	e5	f5	g5	h5
4	a4	b4	c4	d4	e4	f4	g4	h4
3	a3	b3	c3	d3	e3	f3	g3	h3
2	a2	b2	c2	d2	e2	f2	g2	h2
1	a1	b1	c1	d1	e1	f1	g1	h1

Para anotar el movimiento de una pieza abreviamos el nombre de la figura con su inicial en mayúscula y ponemos la casilla a la que llega en minúscula. En español las abreviaturas para las piezas son:

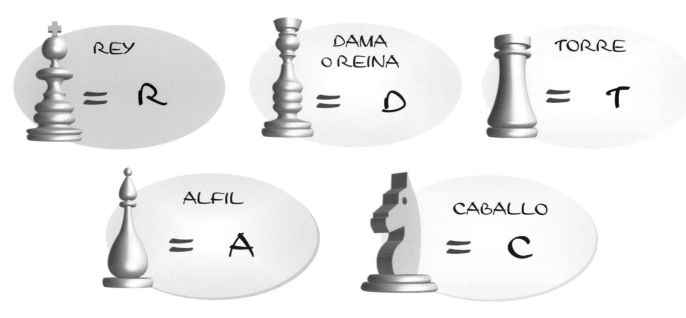

El peón no tiene abreviatura, simplemente se señala la casilla a la que ha llegado.

Para señalar que en ese movimiento la pieza ha capturado a un contrario se anota «x» entre la inicial y la casilla. Por ejemplo,

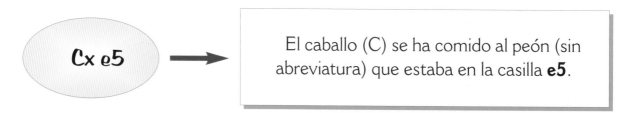

El caballo (C) se ha comido al peón (sin abreviatura) que estaba en la casilla **e5**.

Recuerda que comienzan moviendo las blancas, así que la primera parte de la anotación se refiere al movimiento de las blancas y la segunda parte (lo que va detrás de la coma) a las negras. Por ejemplo, la anotación 1. e4, e5 quiere decir:

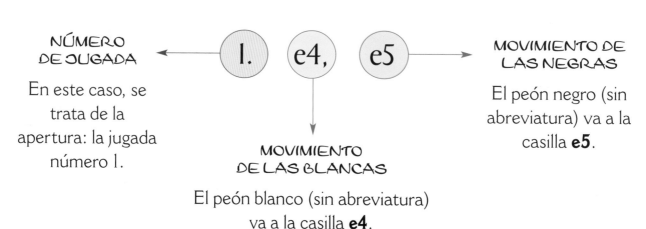

NÚMERO DE JUGADA

En este caso, se trata de la apertura: la jugada número 1.

MOVIMIENTO DE LAS NEGRAS

El peón negro (sin abreviatura) va a la casilla **e5**.

MOVIMIENTO DE LAS BLANCAS

El peón blanco (sin abreviatura) va a la casilla **e4**.

En el sistema algebraico puede haber notación abreviada o notación completa; en el sistema algebraico simple o abreviado sólo se escribe la casilla a la que se llega en cada jugada, precedido por la inicial de la figura que realiza el movimiento (excepto el peón).

Veamos un ejemplo práctico de todo esto:

Para anotar esta jugada, escribiríamos:

1. Cf3, e5

Esto quiere decir que en la jugada número 1 el caballo blanco se ha desplazado hasta la casilla **f3** y que, después, el peón negro (puesto que no aparece ninguna inicial) se ha movido hasta la casilla **e5** (no olvides que un peón, en su primer movimiento, puede avanzar una o dos casillas).

En el sistema algebraico completo se señala también la casilla de la que ha salido la pieza. Así, este mismo ejemplo se anotaría de este modo:

1. Cg1 - Cf3, e7 - e5

que quiere decir que el caballo blanco sale de la casilla **g1** y llega a la casilla **f3**, mientras que el peón negro sale de la casilla **e7** y llega a la **e5.**

¿Cómo se anotan las capturas? Siguiendo la partida anterior, imagina que el caballo blanco da otro de sus saltos en «L» y se come al peón negro que estaba en **e5**, mientras que el jugador de las negras mueve otro peón a **d6**. Podríamos anotarlo así en la forma abreviada:

O anotarlo así de modo completo:

1. Cf3, e5
2. Cx e5, d6

1. Cg1 - Cf3, e7 - e5
2. Cf3 - Cxe5, d7 - d6

Tanto en el sistema algebraico, en el descriptivo y en otros sistemas de anotación, se utilizan una serie de signos complementarios para indicar capturas, enroques, jaque y otros movimientos. Uno de estos signos acabamos de verlo: «x» significa captura. Vamos a ver los demás:

0-0	Significa enroque corto (cuando el rey se mueve hacia la torre más cercana).
0-0-0	Significa enroque largo (cuando el rey se mueve hacia la torre más lejana).
+	Significa jaque.
++	Significa jaque mate, aunque también se escribe #
a.p.	Significa captura «al paso» de un peón a otro peón.
(=)	Significa oferta de tablas.

Por ejemplo:

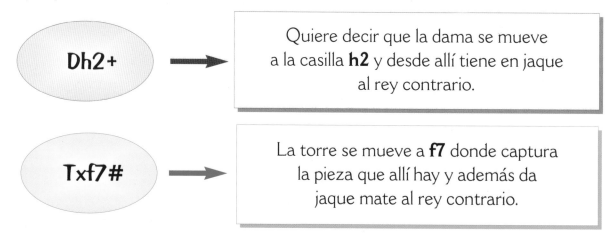

Dh2+ → Quiere decir que la dama se mueve a la casilla **h2** y desde allí tiene en jaque al rey contrario.

Txf7# → La torre se mueve a **f7** donde captura la pieza que allí hay y además da jaque mate al rey contrario.

¿Te atreves a descifrar esta anotación tú sólo?

1. e4, e5
2. Ac4, Cc6
3. Dh5, Cf6
4. Dxf7#

SOLUCIÓN

1. e4, e5 ◄ Primera jugada: el peón blanco se mueve a casilla e4, el peón negro a casilla e5.

2. Ac4, Cc6 ◄ Segunda jugada: el alfil blanco se mueve a casilla c4, el caballo negro a casilla c6.

3. Dh5, Cf6 ◄ Tercera jugada: la dama blanca se mueve a casilla h5, el caballo negro se mueve a la casilla f6.

4. Dxf7# ◄ Cuarta jugada: la dama blanca se mueve a casilla f7, donde captura la pieza que estaba allí, y da jaque mate al rey negro.

Algunos jugadores anotan también comentarios como:

!	Significa buena jugada que merece ser revisada y analizada.
?	Significa mala jugada y se utiliza para señalar que el jugador ha cometido un grave error.
?!	Significa jugada dudosa y se anota cuando no se sabe bien si es buena o mala.

Cuando un peón promociona, se indica su desplazamiento y después se pone la letra de la figura promocionada. Por ejemplo:

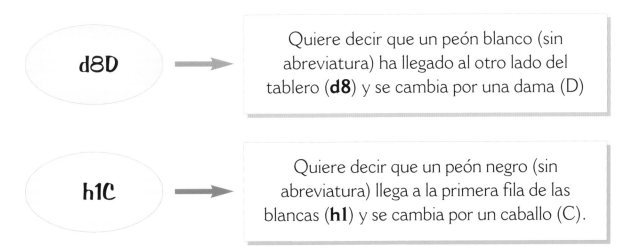

d8D → Quiere decir que un peón blanco (sin abreviatura) ha llegado al otro lado del tablero (**d8**) y se cambia por una dama (D)

h1C → Quiere decir que un peón negro (sin abreviatura) llega a la primera fila de las blancas (**h1**) y se cambia por un caballo (C).

En el artículo 8 de las reglas oficiales del ajedrez se dice que en las partidas oficiales los jugadores están obligados a anotar sus jugadas y la de los adversarios en una planilla que los árbitros les entregan antes de empezar. Además, han de anotarlo mediante el sistema algebraico.

Además de anotar los movimientos, al final de las partidas se concede la siguiente puntuación a cada jugador:

1 punto	Ganador
0 puntos	Perdedor
Medio punto	Tablas (medio punto a cada jugador)

14. EJERCICIOS

hora vas a realizar unos ejercicios sencillos. Te recomendamos tener un tablero de ajedrez con sus piezas para poder realizar los movimientos «en directo», pero tienes que intentar visualizar la jugada en tu mente antes de llevarla a cabo sobre el tablero.

▶ EJERCICIO 1

Encuentra los fallos de este tablero en la colocación inicial de las piezas:

_____

_____

_____

_____

_____

▶ EJERCICIO 2

¿En qué casilla colocarías un alfil negro que amenazase a la vez al caballo, a la torre y al alfil blancos?

_____

_____

_____

_____

_____

▶ EJERCICIO 3

¿Cuál de los dos bandos tiene mejor posición? Piensa qué movimientos haría cada uno, cuántas casillas podrían dominar, etc.

▶ EJERCICIO 4

Indica cuáles de las piezas negras podrían capturar a la dama blanca Dc4.

▶ EJERCICIO 5

¿Qué es lo que falla en las piezas de este tablero?

▶ EJERCICIO 6

Estás jugando con las negras y han hecho jaque a tu rey. ¿Cómo puedes neutralizar ese ataque?

▶ EJERCICIO 7

Le toca jugar al ejército de las piezas negras. ¿Puedes encontrar el jaque mate en una sola jugada?

▶ EJERCICIO 8

Ahora es el turno de las blancas. ¿En cuántas jugadas puedes dar jaque mate al rey negro?

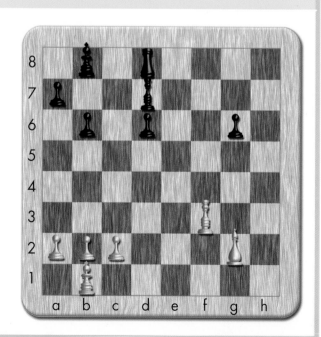

▶ EJERCICIO 9

Estás jugando con las blancas. ¿Puedes enrocar?

▶ EJERCICIO 10

Aquí parece que las negras están en un aprieto, porque tienen menos piezas. Ahora tienen que mover frente a las blancas. ¿Cuáles crees que son las mejores opciones para acabar la partida?

▶ EJERCICIO 11

Piensa fríamente antes de contestar, pues de tu jugada depende ganar o quedar en tablas. Eres el bando negro y estás a punto de coronar con el peón que está en la casilla f2. Decide si lo promocionas a dama o a otra figura. ¿Por qué?

▶ EJERCICIO 12

Es el turno de las negras. ¿Cómo puedes dar jaque al rey blanco en un solo movimiento?

_____

_____

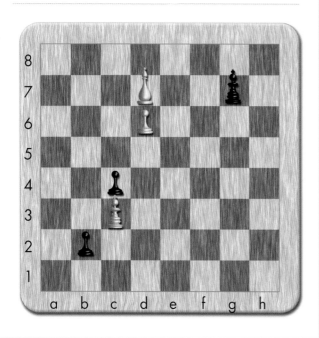

▶ EJERCICIO 13

Le toca jugar al rey negro. ¿Qué movimiento puede hacer para provocar tablas?

_____

_____

▶ EJERCICIO 14

¿Cuál de estos peones promociona?

_____

_____

_____

_____

_____

_____

SOLUCIONES

▶ EJERCICIO 1

Estos son los fallos:

▶ EJERCICIO 2

En la casilla e4.

▶ EJERCICIO 3

Las negras tienen mejor posición. Fíjate cuántas casillas puede controlar la torre negra Td8: doce casillas, frente a las cuatro que controla la torre blanca Ta3, que está inutilizada por sus propios peones.

▶ EJERCICIO 4

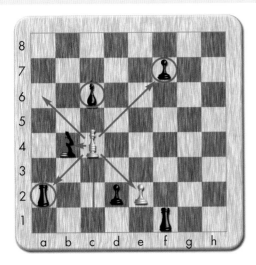

Podría capturar a la torre negra de la casilla a2, al caballo b4, al alfil c6 y al peón negro f7. El peón negro d2 no está en su camino y hacia la torre negra f1 le impide el paso un peón blanco en e2.

▶ EJERCICIO 5

Es imposible que el peón blanco esté en la casilla b1, porque parten de la fila 2 y no pueden ir hacia atrás.

▶ EJERCICIO 6

La mejor manera es mover la torre negra desde e8 hasta e7, de modo que la torre blanca ya no pueda capturar al rey. Si decide capturar a la torre negra e8, el propio rey eliminaría esta pieza.

► EJERCICIO 7

El jaque mate se consigue poniendo el Ad7 en Ag4. El rey blanco no podrá escapar de la amenaza de alguno de los dos alfiles haga lo que haga.

► EJERCICIO 8

Lo ideal es hacerlo en dos jugadas. Primero se obliga al rey negro a moverse. Para ello, la dama blanca de f3 se desplaza hasta Da8, dando jaque. Para evitar la amenaza el rey negro de desplaza a Rc7. La segunda jugada de las blancas pone a la dama en Db7#, dando jaque mate al rey que no puede escapar ni por c6 ni por c1.

► EJERCICIO 9

No, porque el rey está en jaque.

► EJERCICIO 10

El peón negro d6 captura al peón blanco e5. Pero a su vez es capturado por el peón f4. Tras esto, la torre negra se mueve a a2, dando jaque al rey. Si el rey blanco captura esta amenaza, quedaría en juego, del bando negro, sólo su rey, desembocando en tablas por rey ahogado. Así que seguramente las blancas se defienden moviendo su rey a Rb1, la torre se mueve a Tb2+ (jaque), el rey otra casilla, Rc1, la torre otra vez da jaque en Tc2… así por toda la fila, quedando en tablas. En notación algebraica quedaría así:

1. d6 - xe5, f4 - xe5;   2. Th2 - Ta2+, Ra1 - Rb1;   3. Ta2 - Tb2+, Rb1-Rc1. (=)

▶ EJERCICIO 11

Promocionar el peón a dama sería un error porque desembocaría en tablas: el rey blanco no se puede mover a ninguna casilla segura. Sería mejor promocionarlo a torre, porque obligaría al rey blanco a desplazarse a h3 para evitar la amenaza. El siguiente paso sería mover la torre a h1, desde donde da jaque mate al rey, que no puede escapar. La torre es aquí más valiosa que una dama, porque permite capturar al rey y… es mejor ganar que quedar en tablas, ¿no?

▶ EJERCICIO 12

Tienes que realizar un pequeño «truco»: el peón negro b2 se mueve a la casilla b1, donde promociona convirtiéndose en caballo. Desde Cb1 se da jaque al rey de las blancas.

▶ EJERCICIO 13

Moverse a la casilla c4, desde donde puede capturar al alfil o al caballo. Las piezas blancas que quedan no son suficientes para dar jaque mate, con lo cual la partida termina en tablas.

▶ EJERCICIO 14

Sólo pueden promocionar los que han coronado la octava fila si son blancos y la primera fila si son negros, en este caso el peón blanco e8 y el peón negro f1. Los peones situados en las casillas c8 y d1 están en una posición incorrecta, ya que el movimiento del peón le impide retroceder y ambos están una casilla por detrás de donde deberían haber empezado.

15. TÉRMINOS USUALES

ABANDONAR: cuando uno de los dos jugadores se retira de la partida por decisión propia y sin haber llegado ni jaque mate ni tablas.

AHOGADA: se dice de una pieza cuando el otro bando le impide jugar porque controla todas las casillas a las que se puede mover.

AJEDREZ: juego de mesa con un tablero de sesenta y cuatro casillas sobre el que juegan treinta y dos piezas.

ALFIL: figura del ajedrez que en los juegos más antiguos representa al elefante (al-fil). Se mueve por las diagonales del color en que haya iniciado la partida.

APERTURA: jugadas con las que se inicia una partida.

BANDO: cada uno de los «ejércitos» que juegan sobre el tablero. Son de diferente color, uno claro y su contrincante, oscuro (blancas y negras).

BLOQUEO: interponerse en el movimiento de otra pieza.

CABALLO: pieza del ajedrez que avanza en «L» y puede «saltar» sobre otras piezas.

CAPTURAR: eliminar una pieza contraria, sacándola del tablero. Sus sinónimos en este juego son: matar, comerse, tomar, coger, etc.

CASILLA: cada cuadrado, blanco o negro, de los sesenta y cuatro que componen el tablero de ajedrez.

CELADA: es una trampa que tiende un jugador a otro, haciendo que capture alguna de sus piezas de menor valor para sorprenderle en la siguiente jugada capturando una de las piezas más importantes.

COLUMNA: casillas verticales, nombradas de la a a la h.

«COMPONGO»: expresión con la que se avisa al contrario para recolocar las piezas.

CORONACIÓN: cuando el peón llega a la última fila puede cambiarse por la pieza que se desee, excepto por el rey.

DAMA o REINA: pieza del ajedrez que puede moverse por las diagonales, las filas y las columnas.

DEBILIDAD: situación en la que se deja alguna casilla sin dominar, lo cual supone una ventaja para el contrincante.

DEFENSA: jugadas de contra-ataque.

DESARROLLAR: desplegar las piezas por el tablero hasta conseguir posiciones en que dominen el máximo número posible de casillas.

DIAGONALES: casillas del mismo color unidas por los vértices.

ENROQUE, ENROCAR: movimiento del rey con la torre.

FILA: casillas horizontales, nombradas del 1 al 8.

GAMBITO: nombre que se les da a algunas aperturas en las que el jugador sacrifica alguna pieza para obtener mayor beneficio.

JAQUE: expresión para advertir al contrario de la amenaza sobre la casilla en la que está el rey.

JAQUE MATE o simplemente **MATE:** expresión que indica que, estando el rey en jaque, no puede eludir su captura y pierde la partida.

JUGADA: movimiento de una pieza.

PARTIDA: serie de jugadas de los dos jugadores del principio al fin del juego.

PEÓN: pieza que se desplaza hacia delante y come en diagonal. Cada jugador tiene ocho al principio de la partida.

PROMOCIÓN: ver CORONACIÓN.

REY: pieza más importante del juego. Se mueve como la dama, pero sólo una casilla por jugada.

TABLAS: empate en ajedrez.

TORRE: pieza situada en los ángulos del tablero al iniciar la partida. Se mueve recto por filas y columnas.

«ZUGZWANG»: se dice cuando el jugador que mueve no tiene más remedio que hacer una jugada que no le conviene.

BREVE HISTORIA DEL AJEDREZ

El ajedrez nace fruto del trabajo en equipo de varias antiguas civilizaciones. A raíz de las migraciones, invasiones y contactos entre Oriente y Occidente se combinan juegos de azar indios con juegos de lógica griegos.

Los orígenes del ajedrez parecen ser la *chaturanga*, juego de azar de la India, en el que ya había piezas que representaban ejércitos, mezclado con la *petteia*, otro juego de mesa de Grecia en el que no intervenía el azar, sino la reflexión y la estrategia. Al parecer, cuando Alejandro Magno invadió la India allá por el siglo IV a. C., se fusionaron ambos juegos: ya no se usaban dados para hacer avanzar los ejércitos por el tablero, sino la lógica. Las caravanas de comerciantes orientales hicieron que el juego se expandiera por China, Irán, Persia y, con el paso del tiempo, desde Asia a Occidente a través de la Península Ibérica. Por eso, el ajedrez primitivo debe ser de hace unos quince siglos. En estos inicios no existían las reglas que hoy conocemos, incluso era posible que los jugadores movieran varias veces seguidas sin tener en cuenta los movimientos del contrario.

En la Edad Media, el Ajedrez se estanca, hasta que ya en el siglo XV se retoma y evoluciona notablemente, como tantas otras materias durante el Renacimiento. Ahora el *viejo ajedrez* o *juego antiguo* cambia al *nuevo ajedrez*, donde la dama va a ser una figura importante. Gracias a la imprenta y a los grabados, se publican libros sobre ajedrez que facilitan el establecimiento de reglas generales y el estudio de partidas.

En 1561 aparece el tratado de ajedrez de Ruy López. Aunque anteriormente hubo otros libros, es el primero que supone un verdadero progreso en el campo ajedrecístico.

Desde el siglo XVI al XIX el ajedrez progresa y se populariza. Los españoles comienzan dominando el juego, dejando paso después a italianos, franceses e ingleses.

En 1924 se funda en París la «Fédération Internationale des Échecs» (FIDE), es decir, la Federación Internacional de Ajedrez. Es el organismo encargado de establecer y revisar el reglamento de las competiciones, así como las diferentes categorías de Jugadores de Ajedrez. También organiza los campeonatos mundiales. No obstante, en 1993, dos grandes jugadores de ajedrez, Kasparov y Short, se separaron de la FIDE y fundaron la «Professionnal Chess Association» (PCA) o Asociación Profesional de Ajedrez.

JUGADORES FAMOSOS

W. STEINITZ. Campeón del mundo en 1886.

E. LASKER (1868-1941). Conservó su título durante 27 años, de 1894 a 1921. Fue amigo de Einstein.

J. R. CAPABLANCA (1881-1942). Cubano. Aprendió a jugar a los cuatro años. Fue campeón mundial de 1921 a 1927.

A. ALEKHINE (1892–1946). Francés de origen ruso, aprendió a jugar a los siete años. Campeón del mundo en 1927, conservó el título hasta su muerte.

M. EUWE (1901-1981). Holandés. Aunque empezó a jugar a los cuatro años, no participó en torneos hasta los 20. Algunos consideran que no ha de constar como campeón pues la vez que ganó a Alekhine, en 1935, pudo ser por los problemas con el alcohol del francés.

M. BOTVINNIK (1911-1995). Ruso. Empezó a jugar con 12 años. Fue campeón del mundo en 1948, 1958 y 1961.

V. SMYSLOV. Campeón del mundo en 1957.

M. TAHL. Campeón del mundo en 1960.

T. PETROSIAN. Campeón del mundo en 1963.

B. SPASSKY. Campeón del mundo en 1969.

R. J. FISCHER (1943). Estadounidense. Comenzó a jugar a los seis años y con 14 llegó a la fase de clasificación del campeonato del mundo, ganándolo en 1972.

A. KARPOV (1952). Ruso, aprendió a jugar con cuatro años. Fue campeón mundial de 1975 a 1985.

G. KASPAROV (1963). Ruso. Ganó el título de Campeón a Karpov en 1985. Famoso también por enfrentarse en 1996 a *Deep Blue*, gran ordenador que calculaba millones de posiciones en un segundo (aunque en 1997, la versión mejorada de la máquina venció al hombre).

V. KRAMNIK. Ganó a Kasparov en el 2000 y, actualmente también es campeón, aunque en estos años otros jugadores han ostentado este título, como Alexander Khalifman, Viswanathan Anand, Ruslan Ponomariov, Rustam Kasimdzhanov o Veselin Topalov.

CONTENIDO

1. ¿Qué es el ajedrez? 6

2. El tablero 8

3. Las piezas 10

    El rey 10

    La reina o dama 10

    La torre 11

    El alfil 11

    El caballo 12

    El peón 12

4. Reglas y movimientos 14

    El enroque 17

5. Captura 18

6. Jaque 19

7. Mate 21

8. Tablas 23

9. Ataque y defensa 25

    El rey ahogado 26

10. Inicio de la partida 31

11. Medio juego 39

12. El final de la partida 44

13. Anotación de las partidas 45

14. Ejercicios 50

    Soluciones 55

15. Términos usuales 58

Breve historia del ajedrez 60

Jugadores famosos 60